EL DRAGÓN AZUL

UN CUENTO SOBRE MARES, RÍOS Y LAGOS

ALBATROS
TUS MARAVILLAS

EDITORIAL ALBATROS
Coordinación general: Florencia Nizzoli
Edición: Cecilia Repetti
Dirección de arte: María Laura Martínez

DUENDES DEL SUR
Textos e ilustraciones: Pablo Zamboni
Diseño: Duendes del Sur
Diagramación: Borges&Álvarez

EL DRAGÓN AZUL. UN CUENTO SOBRE MARES, RÍOS Y LAGOS
1ª edición - 5000 ejemplares
Impreso en Latingráfica S.A.
Rocamora 4161. Buenos Aires
Impreso en la Argentina
20 de Febrero de 2007

Copyright © 2007 by EDITORIAL ALBATROS SACI
J. Salguero 2745 5º - 51 (1425)
Buenos Aires - República Argentina
E-mail: info@albatros.com.ar
www.albatros.com.ar

ISBN-13: 978-950-24-1189-7

Zamboni, Pablo
    El dragón azul: un cuento sobre mares, ríos y logos / Pablo Zamboni;
ilustrado por Pablo Zamboni - 1a ed. - Buenos Aires : Albatros 2007.
    24 p. : il. ; 22x22 cm. (Dragones de colores)

    ISBN 978-950-24-1189-7

    1. Narrativa Infantil Argentina . I. Zamboni, Pablo, ilus. II Título
CDD A863

Había una vez un reino rodeado de grandes mares y muchos lagos y ríos. Un día, sin saber por qué, el agua fue desapareciendo poco a poco hasta no verse más.

4

LOS ANIMALES QUE HABITABAN SUS BOSQUES SE ENTRISTECIERON YA QUE NECESITABAN AGUA PARA VIVIR.

AL TIEMPO LLEGÓ UN GRAN DRAGÓN AL REINO.

¡QUÉ SORPRESA SE LLEVÓ AL DESCUBRIR

SÓLO PEQUEÑOS CHARCOS DE AGUA!

SE PUSO MUY TRISTE Y DECIDIÓ RESOLVER

EL PROBLEMA, PERO PRIMERO DEBÍA

AVERIGUAR QUÉ HABÍA PASADO.

ERA UN HERMOSO DRAGÓN AZUL. TENÍA ALAS PARA VOLAR Y NADAR.

UNA GRAN COLA, QUE TERMINABA EN FORMA DE REMO, LE SERVÍA DE TIMÓN.

HABLÓ CON TODOS LOS ANIMALES DEL REINO, PERO SÓLO EL PEZ SE ANIMÓ A CONTARLE LA VERDAD.

8

EL BELLO DRAGÓN AZUL PENSÓ QUE LA MEJOR
FORMA DE DESCUBRIR EL MISTERIO ERA HABLAR
CON LOS POCOS ANIMALITOS QUE QUEDABAN
EN EL LUGAR.
PREGUNTANDO Y PREGUNTANDO, LLEGÓ HASTA
LAS ORILLAS DE UN PEQUEÑO CHARCO EN EL QUE VIVÍA
UN PEZ DORADO.

9

EL PECECITO LE DIJO QUE UN DÍA LAS NUBES DECIDIERON MARCHARSE. ESTABAN CANSADAS DE ESCUCHAR QUE LOS ANIMALES SE QUEJABAN PORQUE LA LLUVIA NO LOS DEJABA JUGAR. NINGUNO ADVIRTIÓ QUE ASÍ SE LLENABAN LOS MARES, LOS RÍOS Y LOS LAGOS. TODA EL AGUA DEL REINO SE FUE ACABANDO.

PORQUE PODÍAN JUGAR Y JUGAR PERO, CUANDO QUEDÓ MUY POCA AGUA, SE ATEMORIZARON.

EL DRAGÓN PASÓ TODA LA NOCHE PENSANDO EN LA FORMA DE CONVENCER A LAS NUBES PARA QUE REGRESARAN PRONTO.

LOS ANIMALES SE DIERON CUENTA DE QUE HABÍAN OFENDIDO A LAS NUBES. EMPEZARON A BUSCARLAS, PERO NO LAS ENCONTRARON. QUERÍAN PEDIRLES PERDÓN, Y ROGARLES QUE VOLVIERAN JUNTO CON LA LLUVIA.

13

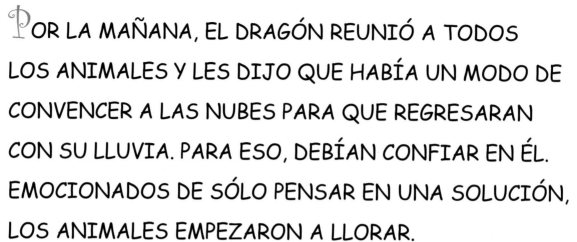

POR LA MAÑANA, EL DRAGÓN REUNIÓ A TODOS LOS ANIMALES Y LES DIJO QUE HABÍA UN MODO DE CONVENCER A LAS NUBES PARA QUE REGRESARAN CON SU LLUVIA. PARA ESO, DEBÍAN CONFIAR EN ÉL. EMOCIONADOS DE SÓLO PENSAR EN UNA SOLUCIÓN, LOS ANIMALES EMPEZARON A LLORAR.

EL DRAGÓN SABÍA MUY BIEN QUE EL ÉXITO DE SU IDEA DEPENDÍA DE LA SINCERIDAD DE LAS LÁGRIMAS.

15

SU AMIGO ALADO SE DESPIDIÓ DE TODOS
LOS HABITANTES DEL REINO. VOLÓ MUY ALTO,
TAN ALTO QUE LLEGÓ AL LUGAR DONDE VIVÍAN
LAS NUBES Y LAS LLAMÓ UNA A UNA.
SABÍA QUE ELLAS LO ESCUCHARÍAN CON MUCHO
ENTUSIASMO.

LAS NUBES ESTABAN DURMIENDO, PERO POCO A POCO, Y UNA POR UNA, SE ACERCARON PARA ESCUCHAR SUS PALABRAS.

17

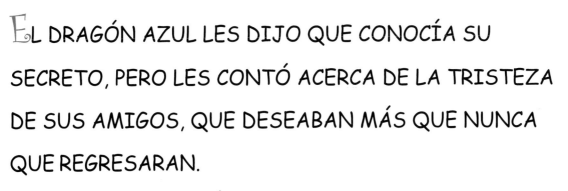

EL DRAGÓN AZUL LES DIJO QUE CONOCÍA SU
SECRETO, PERO LES CONTÓ ACERCA DE LA TRISTEZA
DE SUS AMIGOS, QUE DESEABAN MÁS QUE NUNCA
QUE REGRESARAN.

LAS NUBES NO SABÍAN SI CREERLE O NO... HASTA
QUE EL DRAGÓN LES MOSTRÓ LAS LÁGRIMAS
DE LOS ANIMALES.

EN EL INTERIOR DE UNA PEQUEÑA CÁSCARA DE NUEZ GUARDABA LAS LÁGRIMAS DE TODOS LOS ANIMALES DEL REINO.

19

LAS NUBES SE EMOCIONARON TANTO AL ESCUCHAR EL MENSAJE, QUE TAMBIÉN COMENZARON A LLORAR. POCO A POCO SUS LÁGRIMAS CAYERON COMO LLUVIA HASTA EL REINO. PRIMERO UNA, LUEGO OTRA. ¡LA LLUVIA HABÍA VUELTO! LOS ANIMALES BAILABAN Y SALTABAN FELICES POR SU REGRESO.

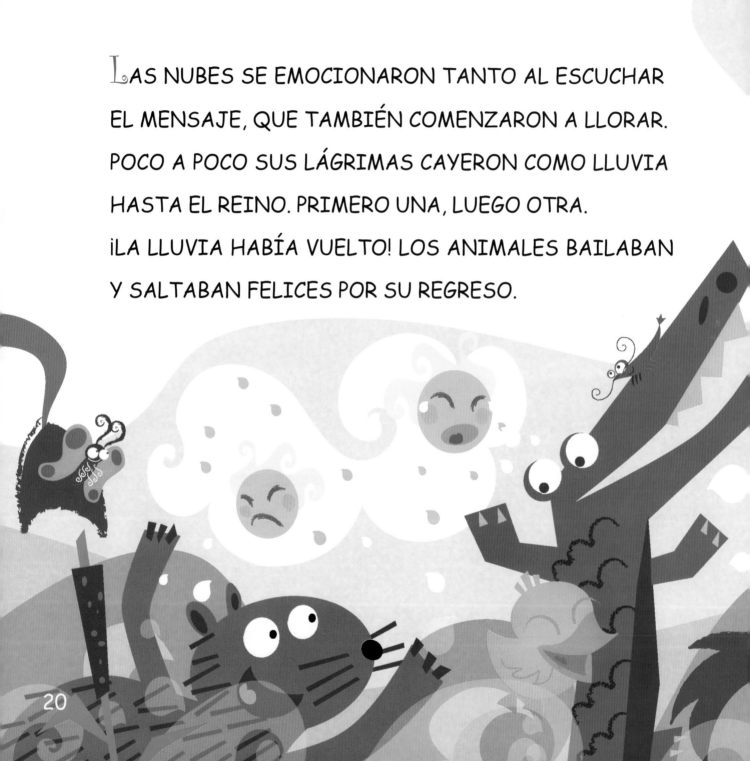

MUY FELIZ, EL DRAGÓN VIO RENACER A LOS MARES, LOS RÍOS Y LOS LAGOS.

21

HAN PASADO MUCHOS AÑOS DESDE QUE SU AMIGO TRAJO LAS NUBES DE VUELTA A CASA. Y CADA VEZ QUE LLUEVE, ALGUNOS ANIMALES, COMO LOS SAPOS, LOS GRILLOS O LOS PECES, CANTAN DANDO GRACIAS AL DRAGÓN POR HABER TRAÍDO LA ALEGRÍA AL REINO. ASÍ SIGUE SIENDO HASTA HOY.

CUANDO LAS AGUAS COMIENZAN A SECARSE, EL DRAGÓN

VUELA HASTA LAS NUBES PARA RECORDARLES QUE TODOS ESPERAN SU REGRESO.

23

EL SOL CALIENTA EL AGUA DE LOS MARES, QUE SE VA EVAPORANDO Y SUBE GRACIAS AL AIRE CALIENTE QUE LO EMPUJA HACIA ARRIBA. CUANDO SE ENCUENTRA CON TEMPERATURAS MÁS FRÍAS, ESTE VAPOR SE CONVIERTE EN PEQUEÑÍSIMAS GOTAS DE AGUA QUE FORMAN LAS NUBES.

LAS CORRIENTES DE AIRE MUEVEN LAS NUBES. LAS GOTAS DE AGUA QUE HAY ALLÍ CHOCAN Y SE VUELVEN TAN GRANDES Y TAN PESADAS QUE CAEN EN FORMA DE LLUVIA.

LA MAYOR PARTE DE LA LLUVIA CAE EN LOS MARES. CUANDO LO HACE SOBRE LA TIERRA, ALIMENTA A LOS LAGOS Y LOS RÍOS, QUE DEVUELVEN EL AGUA A LOS OCÉANOS.

¿QUÉ ES UN DRAGÓN?

ES UN SER FABULOSO CON FORMA DE SERPIENTE O DE UN ENORME COCODRILO. TIENE ALAS DE MURCIÉLAGO Y ESCUPE FUEGO POR LA BOCA. AUNQUE REALMENTE NADIE SABE CÓMO ES, PORQUE ES TÍMIDO Y NO LE GUSTA QUE LO MIREN.
A VECES, LOS DRAGONES SON MUY SABIOS Y BENÉVOLOS, COMO EL DE ESTA HISTORIA, Y OTROS PUEDEN ASUSTAR MUCHO CUANDO SE ENOJAN.